Para Éric y Emma

Título original: En Litus no pot dormir
Traducción del catalán: Mireia Sánchez
© 2019 texto: Mireia Sánchez
© 2019 ilustración: Litos (Litosfera)
Primera edición: febrero de 2019
© 2019 Takatuka SL, Barcelona
www.takatuka.cat
Maquetación: Volta Disseny
Impreso en Novoprint, Sant Andreu de la Barca
ISBN: 978-84-17383-33-6
Depósito legal: B. 3779-2019

LITOS NO PUEDE DORMIR

de Mireia Sánchez
con ilustraciones de Litos

TakaTuka

Este es Litos.

Esta es Mimi.

Mimí es la mejor amiga de Litos: son vecinos,
van al mismo cole y se ayudan con los deberes.

Pero hace unos días que algo raro le pasa a Litos,
porque se duerme por los rincones.

Cuando desayuna.

Camino del colegio.

Haciendo la vertical en
clase de Educación Física.

Y Mimí hace días que anda muy preocupada.

—¿Por qué tienes tanto sueño, Litos? —le pregunta.

—No puedo dormir por las noches por culpa del monstruo del armario —le responde.

—¿Te da miedo? —le pregunta ella.

—No, no... pero no para de hablar y tengo la cabeza como un bombo.

—Pobrecillo, eso es que no tiene otros amigos —dice Mimí apenada.

Tener un monstruo en el armario es algo que suele suceder
cuando tienes seis o siete años como Litos o Mimi.
   A veces, en lugar de tener un monstruo en el armario lo tienes
debajo de la cama, pero depende de si dejas allí los calcetines
sucios, porque los monstruos son un poco tiquismiquis.

Este es el monstruo del armario de Litos.

El monstruo del armario de Litos habla por los codos.
Es normal, porque se pasa todo el día solo y se aburre
mucho. Por ese motivo, sale de noche para charlar un rato.
Los jueves son el peor día, porque Litos tiene
extraescolares y acaba reventado.

Los monstruos de los armarios no tienen ni papá ni mamá, y por eso tampoco tienen nombre. Al parecer, nacen de la pelusilla que crece en los bolsillos y, poquito a poco, les aparece el ojo y las patitas y el sombrero y el resto de las cosas de monstruo, y con el tiempo aprenden a hablar de oídas.

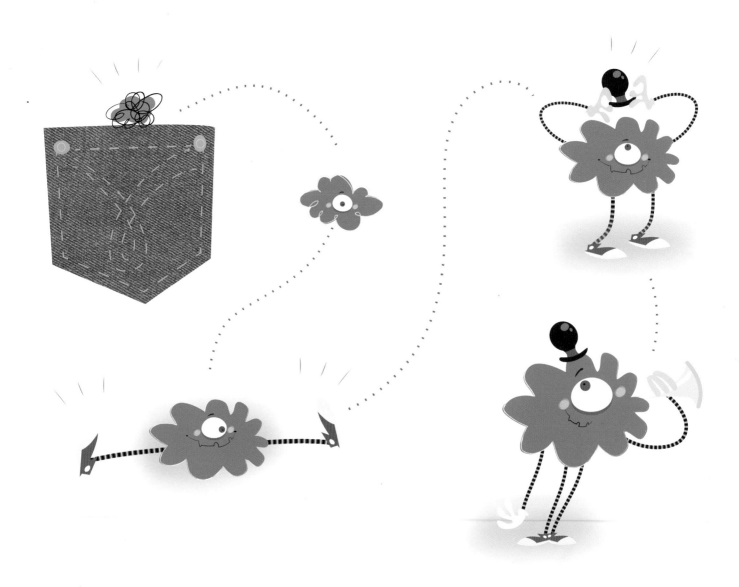

A Litos le cae muy bien su monstruo, pero no sabe cómo decirle que se calle, que necesita descansar. Por eso le pide ayuda a Mimí. Y Mimí, que es muy pizpireta, piensa y repiensa hasta que tiene una idea brillante como el papel de un caramelo.

—¡Presentémosle a Cascabel! —exclama emocionada.

Este es Cascabel, el gato
de Litos.

Cascabel

Cascabel es un gato como todos los gatos, pero tiene unos grandes ojos y parece que se fija mucho cuando hablas con él. Mimí piensa que, si el monstruo se hace amigo suyo, dejará a Litos dormir en paz. Así que deciden hacer las presentaciones.

¡Cascabel, ven!

¡Monstruo del armario, sal!

Y aquí están, como dos pasmarotes.

No se conocen casos de amistad entre un monstruo del armario y un gato doméstico, pero la buena voluntad siempre ayuda; de modo que pronto Cascabel propone al monstruo actividades de gato para matar el tiempo.

Cazar moscas.

Arañar cortinas.

Caer de pie.

Hacer la estatua.

Erizar el pelo.

Tanta actividad los deja cansadísimos, y pronto
Cascabel propone al monstruo del armario hacer
aquello que más les gusta a los gatos: ¡dormir!

Y duermen en el mármol de la cocina...

Y en el sofá...

Y encima de las sillas...